D0267813

Die Deutsche Bibliothek – CIP-Einheitsaufnahme
Ein Titeldatensatz für diese Publikation ist bei der
Deutschen Bibliothek erhältlich

Lektorat: Gabi Strobel

ISBN 3-8315-0400-8

Gesamtverzeichnis schickt gern: Baumhaus Verlag,
Juliusstraße 12, D-60487 Frankfurt am Main
http://www.baumhaus-verlag.de

5 04 05 06 2007

Klaus Baumgart

Laura kommt in die Schule

Text von Cornelia Neudert

Nach einer Idee von Klaus Baumgart

Inhalt

Eine Schultasche

„Ich komme morgen in die Schule!
Deswegen brauche ich eine Schultasche!“,
erklärt Laura der Verkäuferin im Kaufhaus.
Die Verkäuferin nickt.
„Wie soll sie denn sein?“, fragt sie.
„Möglichst leicht“, sagt Papa und niest.
„Und möglichst schön“, sagt Laura.
„Und möglichst fest“, sagt Papa und
schnäuzt sich die Nase.
„Und möglichst viel Platz für Hefte und
Stifte muss sie haben“, sagt Laura.
„Ich will auch eine Schultasche!“, mault

Tommy und streichelt seinen kleinen Beschütz-mich-Hund. Den nimmt er fast überall hin mit. Sogar in die Badewanne und ins Bett.

„Du brauchst aber noch keine Schultasche, weil du noch nicht in die Schule kommst", erklärt Laura ihrem kleinen Bruder.

„Ich will trotzdem eine!", beharrt Tommy. „Ich will auch in die Schule gehen!"

Aber da sagt Papa: „Tommy, keine Maulerei! Du kommst auch bald in die Schule und dann kriegst du auch eine Schultasche."

Dann niest er wieder und fängt an, alle Schultaschen der Reihe nach zu testen, ob sie leicht und fest genug sind. Und Laura fängt an, zu testen, ob sie schön genug sind und ob innen drin genug Platz für Hefte und Stifte ist.

49,-

Endlich haben sie eine Schultasche gefunden, die Laura gefällt und die Papa gefällt.
Sie ist blau mit gelben Sternen, schön leicht, schön fest und mit schön viel Platz innen drin.

Laura freut sich, Papa freut sich und die Verkäuferin sieht auch ganz froh aus.
Nur Tommy zieht immer noch ein Gesicht.
„Du darfst sie nach Hause tragen, wenn du willst“, sagt Laura zu ihm.
„Ehrlich?“
Laura nickt.
Da freut sich Tommy auch.
Papa kauft noch drei große Bögen buntes Papier, dann machen sie sich auf den Heimweg. Tommy trägt Lauras Schultasche auf dem Rücken.

Als sie am Spielplatz vorbeikommen, sieht Laura ihre Freundin Sophie auf der Schaukel sitzen. Sie zieht Papa am Ärmel. „Du, ich will Sophie meine Schultasche zeigen“, sagt sie zu ihm. Papa niest. „Aber nur kurz“, schnieft er. „Ich mache inzwischen das Abendessen.“
Laura nickt, und sie und Tommy laufen zu Sophie hinüber. Der gefällt Lauras Schultasche auch.
„Genauso schön wie meine“, sagt sie.
„Ich freu mich schon auf die Schule“, sagt Laura.
„Ich auch“, antwortet Sophie.
Da zieht Tommy wieder ein Gesicht.
„Ihr dürft immer alles und ich darf nichts“, mault er. „Ich will auch in die Schule!“
„Mensch, seid ihr dumm“, sagt plötzlich eine Stimme hinter ihnen.

„Man will doch nicht freiwillig in die Schule!“
Die drei drehen sich um. Es ist Harry Ballwanz. Tommy geht einen Schritt zurück und versteckt sich hinter Laura. Laura mag Harry auch nicht besonders, weil er immer so angibt und die Kleineren rumkommandiert. Nur Sophie hat keine Angst vor ihm.

„Welche Lehrerin kriegt ihr denn?“, fragt Harry.
„Frau Hofbauer“, antwortet Sophie.
„Die Hofbauer?! – Das ist die schlimmste Lehrerin von der ganzen Schule!“, sagt Harry. „Die ist total streng und gibt fies viele Hausaufgaben auf.“
„Woher willst du das denn wissen?“, fragt Sophie.
„Ich hab sie schließlich auch gehabt!“, sagt Harry. „Die versteht echt keinen Spaß. Mädchen mag sie übrigens nicht besonders. Und Mädchen mit Brille kann sie gar nicht leiden. Ihr werdet schon sehen.“
Dann steckt er die Hände in die Hosentaschen und geht davon. Laura, Tommy und Sophie schauen ihm hinterher.
„Ob das stimmt?“, fragt Laura.
„Quatsch“, sagt Sophie. Aber ihre Stimme

klingt irgendwie so komisch leise.
„Ich glaube, ich muss jetzt nach Hause“, murmelt sie dann.
„Wir treffen uns morgen früh, wie versprochen, vor dem Schultor?“, fragt Laura noch.
Sophie nickt. Dann dreht sie sich um und rennt davon. Laura und Tommy gehen über die Straße zu ihrem Haus.
Als sie im Aufzug stehen und in den vierten Stock zu ihrer Wohnung hochfahren, sagt Tommy zu Laura:
„Du kannst jetzt deine Schultasche wiederhaben.
Ich will doch nicht in die Schule.“

Ein mulmiges Gefühl

Zum Abendessen gibt es Tomatensalat und Käsebrote. Eigentlich mag Laura Tomaten und Käse gerne, aber heute hat sie keinen Hunger. Auch Tommy riecht nur an seinem Brot und legt es wieder hin.

„Der Käse ist schlecht. Er stinkt“, sagt er.

Sonst sagt Papa dann immer: „Tommy, der Käse ist gut! Der riecht eben so. Probier doch mal!"
Aber heute sagt Papa nichts. Papa hat sich nämlich ins Bett gelegt. Er hat Fieber.
„Laura? Meinst du, es stimmt, was Harry sagt?", fragt Tommy.
Laura weiß es nicht. Aber sie sagt: „Nein, bestimmt nicht."
„Aber er hat die Frau Hofbauer doch auch als Lehrerin gehabt", sagt Tommy. Laura sagt nichts. Sie hat so ein mulmiges Gefühl. Eigentlich möchte sie morgen nicht in die Schule gehen.
„Kannst du dann überhaupt noch mit mir spielen, wenn du jeden Tag so viele Hausaufgaben machen musst?", fragt Tommy.

„Klar kann ich noch mit dir spielen“, sagt Laura. Aber sicher ist sie sich nicht. Eine Weile sitzen sie beide still am Tisch und Laura bekommt ein bisschen Angst. Wenn Frau Hofbauer wirklich so streng ist? Laura muss vor dem Schlafengehen unbedingt noch mit ihrem Stern über sie reden.
Laura kennt ihren Stern schon lange. Sie sind gute Freunde und der Stern kommt Laura oft besuchen. Aber das weiß keiner außer ihr. Der Stern ist ihr Geheimnis.
Da klingelt das Telefon. Es ist Mama. Sie ist gerade in London, weil sie dort mit ihrem Cello bei einem Konzert spielen muss.
Laura hat den Hörer in der Hand und Tommy drängelt sich neben sie.
„Laura bekommt die schlimmste Lehrerin von der ganzen Schule“, schreit er ins Telefon.

„Wer hat denn das gesagt?“
Mamas Stimme klingt ganz erschrocken.
„Harry Ballwanz“, sagt Laura.
„Aber ihr wisst doch, dass Harry immer so blöde Sachen erzählt“, sagt Mama erleichtert. „Darauf müsst ihr nicht hören!“
„Mhm“, macht Laura.
„Deine Lehrerin ist ganz nett. Da bin ich sicher“, sagt Mama.
„Sicher?“, fragt Laura.
„Sicher!“, sagt Mama.

„Hm", sagt Laura. Vielleicht hat Mama Recht. Harry erzählt oft blöde Sachen, die gar nicht stimmen.
Inzwischen ist auch Papa aus dem Schlafzimmer gekommen. Er geht ganz langsam und sein Kopf ist rot vom Fieber. Laura gibt ihm den Hörer.
„Ja", sagt Papa. „Ja. – Ja. – Nein. – Ja, ich hab jetzt auch noch Fieber. – Morgen? In die Schule? – Ich denke schon. Ich hoffe jedenfalls. – Also, wenn es absolut nicht geht, dann bitte ich Frau Klein, dass sie Laura mitnimmt."
Tommy flüstert Laura zu: „Wovon redet er? Wohin soll Sophies Mama dich mitnehmen?"
Laura flüstert zurück: „In die Schule. Wenn Papa morgen früh noch immer so krank ist und mich nicht bringen kann."

Tommy sieht Laura mit aufgerissenen Augen an.
„Also, ich würde nicht ohne Papa in die Schule gehen!“, sagt er. „Vor allem nicht zu dieser fiesen Frau Hofbauer!“
Laura will auch nicht ohne Papa in die Schule gehen, egal ob Frau Hofbauer nun fies ist oder nicht.
„Wir müssen ihn pflegen, damit er bis morgen wieder gesund wird“, sagt sie zu Tommy.
„Auja!“, ruft Tommy. „Wie macht man das?“
Laura denkt nach.
„Wenn wir krank sind, bringt Papa uns doch immer Heiße Zitrone ans Bett und wickelt uns nasse Tücher um die Beine! Das machen wir bei ihm jetzt auch“, sagt sie dann.

„Gut“, sagt Tommy und rennt ins Bad.
Laura presst Zitronen aus und gießt den Saft in Papas Herzchentasse. Sie probiert. Brrrr! Das schmeckt ja schrecklich sauer! Laura überlegt. Ob Papa auch Zucker in die Heiße Zitrone tut? Sie schüttet acht Löffel Zucker dazu und probiert wieder. Jetzt schmeckt es viel besser.
„Was machst du denn da?“
Papa hat aufgehört zu telefonieren und ist in die Küche gekommen. Er sieht die Zitronenschalen, die in der ganzen Küche herumrollen. Er sieht den Zucker, der auf dem ganzen Tisch verstreut ist. Und er sieht das Abendessen, das niemand aufgegessen hat.
„Heiße Zitrone für dich!“, antwortet Laura stolz. „Damit du morgen nicht mehr krank bist und mich in die Schule bringen kannst.“

Papa stöhnt.
Da kommt Tommy aus dem Bad. In den Händen hält er ein klitschnasses Handtuch.
„Wir pflegen dich jetzt nämlich!“, verkündet er.
Papa sieht, wie das Wasser aus dem Handtuch auf den Fußboden tropft und stöhnt noch lauter.

Nachdem das Handtuch nicht mehr tropft, nachdem die Zitronenschalen und der Zucker weggeräumt sind und das Abendessen aufgegessen ist, sagt Papa zu Laura: „Ich lege mich jetzt einfach ins Bett und schlafe. Morgen ist das Fieber sicher weg und Tommy und ich bringen dich in die Schule.“

„Versprochen?“, fragt Laura.

„Versprochen“, sagt Papa.

Lauras Stern

Laura liegt im Bett. Die Zeiger ihres
Weckers leuchten vom Fensterbrett herüber.
Papa hat ihn auf sieben Uhr gestellt.
Wenn er klingelt, muss sie aufstehen und
zum ersten Mal in die Schule gehen.
Eigentlich soll sie jetzt schlafen, damit sie
morgen munter ist.
Aber sie ist gar nicht müde.
Sie ist aufgeregt.
Und sie will mit ihrem Stern reden.
Laura steht auf und öffnet das Fenster.
Draußen ist es dunkel.

Nur die Straßenlampen unten leuchten.
Auf dem Dach des Nachbarhauses sitzt
der Nachbarskater.
Über ihm am Himmel funkeln die Sterne.
Und einer davon funkelt schöner als alle
anderen. Das ist Lauras Stern. Laura winkt
ihm zu.
„Stell dir vor“, erzählt sie dem Stern. „Ich
komme morgen in die Schule! Eigentlich ist
das toll und ich hab mich eigentlich auch
schon drauf gefreut, aber …“
Sie macht eine kleine Pause. Der Stern
blinkt fragend.
„Aber Harry Ballwanz sagt, meine Lehrerin
ist streng und fies und gibt viele
Hausaufgaben auf. Und jetzt ist Papa
auch noch krank geworden. Er hat zwar
versprochen, dass er mich zur Schule
bringt, und was man verspricht, muss man

auch halten, aber wer weiß?“
Laura muss schlucken. Sie merkt, dass sie wieder ein bisschen Angst bekommt. Sie sieht zu ihrer Schultasche hinüber, die neben der Tür steht und auf morgen wartet. Am liebsten würde Laura die Tasche jetzt Tommy schenken. Aber der will sie ja auch nicht mehr. Laura schluckt wieder.
Da fährt ein Windzug durchs Fenster herein und es wird plötzlich heller im Zimmer.

Laura muss für einen kleinen Moment die Augen zumachen. Als sie die Augen wieder aufmacht, sieht sie, dass der Stern im Zimmer schwebt.
„Oh!“, flüstert Laura. „Schön, dass du gekommen bist!“
Der Stern begrüßt sie mit einem kleinen Glitzerregen, dann schwebt er neugierig zu ihrer Schultasche hinüber. Er schaut sie sich von allen Seiten an.
„Toll, nicht?“, fragt Laura. „Besonders die Sternchen!“
Das findet der Stern auch. Da fällt Laura auf einmal ein, dass sie die Schultasche noch gar nicht richtig ausprobiert hat. Aber das kann sie ja gleich jetzt nachholen. Sie hebt die Tasche hoch und schnallt sie sich auf den Rücken. Komisch fühlt sich das an. Ungewohnt, aber schön.

„Ich bin jetzt ein richtiges Schulkind“, denkt sie. Der Stern schwebt auf ihre Hand. Laura macht vorsichtig die Zimmertür auf und schleicht in den Flur.
Da hängt ihre Jacke und da stehen ihre Schuhe. Sie könnte sich jetzt einfach anziehen und zusammen mit dem Stern in die Schule gehen. Den Weg kennt sie nämlich schon längst.
Aber es ist noch nicht Morgen.
„Und in der Schule ist jetzt noch niemand“, flüstert Laura.
Leise, damit sie Papa nicht in seinem Gesundwerdeschlaf stört, schleicht sie in ihr Zimmer zurück.

Dort nimmt sie die Schultasche wieder vom Rücken und zeigt dem Stern, wie sie innen aussieht.
„Weißt du, was toll wäre?“, sagt sie zu ihm.
„Wenn du morgen mitkommen könntest.“
Der Stern schlägt ein paar übermütige Sternenräder in der Luft. Und dann schlüpft er einfach in ihre Schultasche hinein, zwischen die Hefte und das Mäppchen mit den Stiften.
Laura staunt.
„Ist das dein Ernst? Du willst wirklich mit mir in die Schule kommen?“, fragt sie.
Der Stern sprüht zustimmend ein paar Sternenfunken. Da freut sich Laura.

„Aber du brauchst noch ein Kissen.
Die Schultasche ist ja innen ganz hart“,
sagt sie dann.
Sie sieht sich im Zimmer um: Bauklötze,
Spielzeugautos, eine Puppe – das ist alles
nicht weich genug. Aber da, unter dem Bett!
Eine Wollmütze! Das ist das Richtige.
Laura legt die Mütze in die Schultasche.
Der Stern kuschelt sich hinein.
Als Laura ihm dabei zusieht, merkt sie,
dass sie plötzlich ganz müde ist.
„Schlaf gut!“, sagt sie zu ihrem Stern.
Dann klettert sie zurück ins Bett.
Von dort aus kann sie sehen,
dass ihre Schultasche jetzt
ganz hell leuchtet.
„Morgen!“, denkt
Laura noch.
Dann schläft sie ein.

Der erste Schultag

Laura wacht auf und weiß sofort wieder, was heute für ein besonderer Tag ist. Ihr Wecker hat zwar noch nicht geklingelt, aber sie springt aus dem Bett. Im hellen Tageslicht leuchtet der Stern nicht mehr, aber Laura weiß trotzdem, dass er noch da ist.
„Heute!“, flüstert sie ihm zu.
Dann hört sie, dass Papa auch schon auf ist. Sie läuft in die Küche.
„Bist du immer noch krank?“, fragt sie.
Papa niest und grinst.

„Ja, aber nicht mehr so schlimm“, sagt er.
„Das Fieber ist weg.“
Da kommt Tommy im Schlafanzug hereingetapst.
„Was ist denn das?“, fragt er und zeigt auf den Küchentisch. Da sieht Laura erst, dass dort eine Schultüte liegt! Aus gelbem Papier mit bunten Buchstaben drauf! Sie riecht noch nach Kleber. Die hat Papa gebastelt! Aus dem Papier, das er gestern gekauft hat!
„Danke!“, ruft Laura und gibt ihm einen Kuss.
„Vorsicht, damit meine Krankheitsbazillen nicht zu dir rüberhüpfen“, lacht Papa.
Dann gibt es Frühstück.
Laura trinkt ihren Kakao aus ihrer Drachen-Tasse, Tommy trinkt seinen Kakao

aus seiner Lachgesicht-Tasse und Papa trinkt seinen Kaffee aus seiner Herzchen-Tasse.
„Hast du noch Angst?“, fragt Tommy.
„Nein“, sagt Laura und schüttelt den Kopf.
Dann gehen sie los. Laura trägt ihre Schultüte im Arm und ihre Schultasche auf dem Rücken. Ab und zu spürt sie, wie der Stern darin auf- und abhüpft.
Dann hüpft sie auch.

Vor dem Schultor bleiben sie stehen.
Hier wollen sie sich nämlich mit Sophie und ihrer Mutter treffen. Viele Kinder gehen vorbei, auch viele mit Schultüten. Aber Sophie nicht. Laura stellt sich auf die Zehenspitzen und macht den Hals ganz lang. Nichts. Keine Sophie.
„Vielleicht sind sie schon reingegangen“, meint Papa.
„Nein, wir wollten uns ganz sicher hier treffen“, antwortet Laura.
„Schau mal, da kommt Harry“, sagt Tommy und greift nach Papas Hand. Aber Harry sieht gar nicht zu ihnen her. Er unterhält sich mit seinen Freunden. Schließlich ist er schon einer von den Großen.
Es kommen immer weniger Kinder.
Manche rennen, damit sie nicht zu spät kommen.

Auch ein Junge mit einer Schultüte im Arm und seinem Papa an der Hand kommt angerannt. Laura kennt ihn vom Spielplatz. Er heißt Philipp und soll in die selbe Klasse wie sie.
„Hallo“, sagt Laura.
„Hallo!“, keucht Philipp.
„Warum geht ihr nicht rein?“, fragt Philipps Papa.
„Wir warten noch auf Lauras Freundin Sophie“, antwortet Lauras Papa.
„Wir sagen der Lehrerin Bescheid, dass ihr gleich nachkommt“, sagt Philipps Papa.
Dann verschwinden die beiden im Schulhaus. Laura, Tommy und Papa warten draußen weiter. Papa schaut immer wieder auf seine Armbanduhr.
„Wir müssen jetzt auch rein!“, drängelt er.
Aber Laura sagt: „Ich habe Sophie

versprochen, dass ich hier auf sie warte, und was man verspricht, muss man halten!“
Also warten sie weiter.
Jetzt kommen gar keine Kinder mehr.

Papa tritt unruhig von einem Fuß auf den anderen.
„Wir sind schon viel zu spät!“, stöhnt er.
Da schreit Tommy plötzlich: „Sie kommen!“

Tatsächlich! Sophie und ihre Mama kommen die Straße herunter. Laura winkt ihnen zu. Sophie winkt nicht zurück. Sie ist ganz blass im Gesicht. Vor dem Schultor bleibt sie stehen.
„Ich will da aber nicht rein!“, sagt sie zu ihrer Mama. „Sie ist ekelhaft und gemein! Sie gibt ganz viele Hausaufgaben auf und sie kann Mädchen mit Brille nicht leiden!“
Sophies Mutter schaut unglücklich.
„Sophie, sei doch vernünftig!“, sagt sie zu ihr. „Warum soll Frau Hofbauer etwas gegen Mädchen mit Brille haben? Sie ist wirklich nett! Und ich muss jetzt dringend zur Arbeit!“

Tommy macht große Augen.
„Hat Sophie Angst?“, flüstert er verwundert. Laura nickt. Sie wundert sich auch. Sophie hat sonst nie Angst. Vielleicht ist Frau Hofbauer doch so schrecklich wie Harry gesagt hat? Die schlimmste Lehrerin der ganzen Schule? Wenn sogar Sophie sich vor ihr fürchtet? Lauras Herz fängt an, schneller zu schlagen. Aber dann spürt sie auf einmal, wie in ihrer Schultasche der Stern hüpft.

Sie geht zu Sophie und nimmt sie an der Hand.

„Harry wollte uns bestimmt nur reinlegen“, sagt sie zu ihr. „Was er gesagt hat, stimmt nicht.“

„Meinst du?“, fragt Sophie.

Laura nickt.

„Komm, wir gehen zusammen rein“, sagt sie

Sophie schluckt.

„Also gut. Gehen wir. Und wenn Harry gelogen hat, dann kann der echt was erleben!“

Zu ihrer Mama sagt sie: „Du kannst zur Arbeit. Ich gehe mit Laura.“

Sophies Mama macht ein besorgtes Gesicht, aber Lauras Papa sagt: „Ich bin ja auch dabei.“

Da gibt Sophies Mama Sophie einen Kuss und rennt dann schnell davon.

Ein ziemliches Durcheinander

Es ist gar nicht so einfach, das richtige Klassenzimmer zu finden. Papa hat nämlich den Zettel zu Hause vergessen, auf dem der Weg beschrieben ist. Und auf den Gängen ist niemand mehr, den sie fragen könnten. Also laufen Laura, Sophie, Tommy und Papa kreuz und quer durchs ganze Schulhaus und suchen.
Als sie endlich das richtige Klassenzimmer gefunden haben, steckt Papa als Erster den Kopf hinein.

23

„Aber wo ist denn die Lehrerin und wo sind die anderen Eltern?“, fragt er erstaunt.
Im Zimmer sind nämlich nur Kinder. Sie sitzen an ihren Plätzen, haben Buntstifte in den Händen und malen. Jetzt heben alle die Köpfe und starren Laura und Sophie an.
In der ersten Reihe sitzt Philipp.
„Unsere Eltern sind schon gegangen. Und Frau Hofbauer ist mit, weil mein Papa ihr erzählt hat, dass ihr noch vor der Tür steht“, sagt er. „Sie wollte sehen, ob es Probleme gibt.“
Papa stöhnt.
„Dann sind wir jetzt irgendwie aneinander vorbeigelaufen“, sagt er zu Laura und Sophie. „Tommy und ich gehen schnell wieder raus und sagen Frau Hofbauer, dass alles in Ordnung ist.“
Papa schiebt Laura und Sophie zu einer

freien Bank hinter Philipp. Zum Glück sind da noch zwei Plätze nebeneinander frei. Dann winkt er Laura noch einmal zu und hetzt mit Tommy wieder davon.
Die beiden Mädchen in der Bank neben Laura und Sophie flüstern und schauen immer wieder zu ihnen herüber. Laura mag das nicht. Sie beugt sich vor und fragt Philipp: „Was malst du denn da?"
„Frau Hofbauer hat gesagt, wir sollen malen, was wir am liebsten machen", antwortet Philipp. Laura sieht, dass er ein Fußballspiel malt.
„Komm, wir malen auch", sagt Sophie.

Laura nickt.
Sie beugt
sich zu ihrer
Schultasche
hinunter und macht sie auf, um ihre Stifte herauszuholen.
Da schwebt ihr aus der Schultasche ihre Mütze entgegen. In der Mütze steckt der Stern, aber nur eine kleine Zacke lugt unten noch heraus. Laura erschrickt.
„Nicht! Bleib drin!“, flüstert sie und will den Stern festhalten. Aber er schwebt neugierig auf ihren Tisch.

„Warum holst du deine Mütze raus und nicht deine Stifte?“, fragt Sophie.
Aber Laura kann gar nicht antworten, denn jetzt macht der Stern einen Satz nach vorne und landet auf Philipps Tisch.
Philipp malt vor Schreck eine Ecke in seinen Fußball.
„He! Wer schmeißt denn da mit Mützen?“, fragt er ärgerlich.
Laura springt von ihrem Stuhl hoch.
„Du, wir sollen sitzen bleiben!“, sagt eins der Mädchen aus der Nachbarbank zu ihr.
Aber Laura muss doch ihren Stern fangen!
Sie stürzt vor und streckt die Arme aus, aber der Stern schwebt jetzt nach oben.
Philipp reißt überrascht die Augen auf.
„Schaut mal!“, schreit ein Mädchen von hinten. „Da fliegt eine Mütze!“
Jetzt schauen alle hin.

Der Stern flitzt kreuz und quer durchs Klassenzimmer. Es sieht aus, als würde die Mütze von einem Wind umhergefegt werden. Aber im Klassenzimmer geht natürlich kein Wind. Laura rennt zwischen den Tischen hindurch und springt, so hoch sie kann.

Aber der Stern springt und wirbelt noch viel höher. Er spielt gern Fangen. Und Laura kann ihn einfach nicht erwischen.
Die anderen Kinder schreien jetzt alle aufgeregt durcheinander. Ein paar sind auch aufgestanden und rennen hinter der Mütze her.

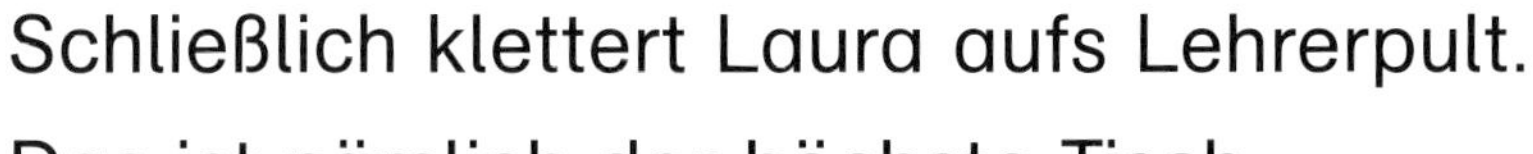

Schließlich klettert Laura aufs Lehrerpult.
Das ist nämlich der höchste Tisch
im Zimmer.
„Bitte komm her! Ich
krieg sonst Ärger!“,
ruft sie dem Stern zu.
Da endlich sinkt er
langsam herunter, bis
Laura ihn fassen kann.

In diesem
Moment geht
die Tür auf.
Eine Frau
kommt ins
Klassenzimmer.
Sie hat schon
graue Haare und
trägt eine Brille.
Als sie Laura auf dem Lehrerpult entdeckt,
bleibt sie überrascht stehen.

Eine sehr gute Erfindung

Laura erschrickt. Das muss Frau Hofbauer sein. Die schlimmste Lehrerin der ganzen Schule, hat Harry gesagt. Jetzt wird sie sicher gleich mit Laura schimpfen.
„Was machst du denn auf meinem Tisch?“, fragt Frau Hofbauer. Sie klingt nicht so streng wie Laura erwartet hat. Aber was soll sie ihr sagen? Sie darf doch ihren Stern nicht verraten!
„Meine – meine Mütze“, stottert Laura. „Sie ist plötzlich weggeflogen und durch die Luft geschwebt – und da – da musste ich

sie doch einfangen!“
„Hat dir jemand deine Mütze weggenommen und sie in die Luft geworfen?“, fragt Frau Hofbauer und runzelt die Stirn.
Laura wird rot und schüttelt den Kopf. 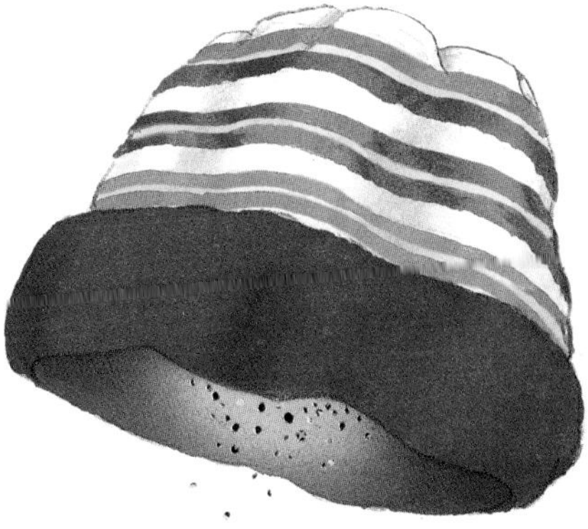
„Sie ist ganz von alleine geflogen“, antwortet sie leise.
Frau Hofbauer überlegt.
„Du bist anscheinend ein sehr fantasievolles Kind“, meint sie dann.
„Das sagt meine Mama auch immer“, sagt Laura.
Frau Hofbauer lacht.
„Komm herunter und setz dich an deinen Platz“, sagt sie zu Laura.

Laura klettert vom Tisch und setzt sich wieder neben Sophie. Die Mütze mit dem Stern steckt sie schnell in ihre Schultasche zurück.
„Bist du Laura?“, fragt Frau Hofbauer jetzt freundlich.
Laura nickt.
„Ich habe deinen Vater und deinen kleinen Bruder getroffen. Sie haben mir erzählt, dass du schon hier bist“, sagt Frau Hofbauer. Dann fragt sie Sophie: „Und du bist sicher Sophie?“
„Ja“, antwortet Sophie. „Und wissen Sie was? Ich bin froh, dass wir Sie als Lehrerin haben. Besonders wegen Ihrer Brille. Die gefällt mir wirklich gut.“
„Das freut mich“, sagt Frau Hofbauer überrascht. „Deine Brille ist aber auch sehr hübsch.“

Und dann geht es endlich richtig los. Alle sollen ihr Bild fertig malen. Aber Laura weiß nicht, was sie malen soll. Sie ist noch so aufgeregt. Was macht eigentlich ihr Sternchen jetzt? Sie beugt sich über ihre Schultasche und sieht nach. Der Stern liegt wieder ganz friedlich zwischen den Heften auf der Wollmütze.
Als Laura zu ihm hineinschaut, winkt er ihr mit einer Zacke zu. Laura lacht und winkt vorsichtig zurück.
Dann nimmt sie ihren gelben Buntstift aus dem Mäppchen. Jetzt weiß sie nämlich, was sie malen will.
Später erzählt jeder etwas über sein Bild. Philipp erzählt, dass er Fußball sehr mag.

Anna, das eine Mädchen aus der Nachbarbank, erzählt, dass sie gerne Kuchen backt. Lea, das andere Mädchen aus der Nachbarbank, erzählt, dass sie gerne mit ihrem Kaninchen spielt.
Laura hat auf ihr Blatt ganz viele kleine Sterne gemalt. Sie selbst sitzt in ihrem Bild in einer Rakete, die zwischen den Sternen hindurchfliegt.
„Ich sehe mir gern die Sterne an“, sagt sie, als sie an der Reihe ist.
„Und was ist das?“, fragt Frau Hofbauer, als sie Sophies Bild sieht.
„Das ist eine Erfindung“, erklärt Sophie.
„Ich mache nämlich gerne nützliche Erfindungen.“

„Und was kann diese Erfindung?“, fragt Frau Hofbauer.
Da antwortet Sophie: „Das ist noch ein Geheimnis.“
Aber Laura flüstert sie zu: „Das ist eine Harry-Verhau-Maschine! Dieser Fiesling hat uns angelogen! Frau Hofbauer ist überhaupt nicht gemein! Und Mädchen mit Brillen kann sie auch leiden.“
Und Laura findet, dass die Harry-Verhau-Maschine eine sehr gute Erfindung ist.

Nach der Schule holen Papa und Tommy Laura wieder ab. Auch Sophies Mama ist da. Sie gehen alle zusammen nach Hause.
„Na, wie war’s?“, fragt Papa.
„Schön!“, sagt Laura.
„Schön!“, sagt Sophie.
„Da bin ich aber froh!“, sagt Sophies Mama.

Und dann erzählen Laura und Sophie was sie in der Schule alles gemacht haben.
„Und wie viele Hausaufgaben habt ihr auf?“, fragt Tommy.
„Eine“, sagt Sophie. „Wir sollen ein Bild ausmalen.“
„Und Frau Hofbauer? War sie sehr schlimm?“, fragt Tommy.
Sophie schüttelt den Kopf und Laura sagt: „Ich glaube, Frau Hofbauer ist die netteste Lehrerin der Welt!“
Am Abend geht Laura mit ihrer Schultasche auf den Dachboden. Dort gibt es nämlich ein Dachbodenfenster. Und von dort aus hat es der Stern nicht so weit bis zurück an den Himmel. Laura macht die Schultasche auf und der Stern hüpft auf ihre Hand.
„Schön, dass du dabei warst!“, sagt Laura zu ihm.

Dann macht sie das Fenster auf und der Stern schwebt hinaus. Laura winkt ihm zu und er winkt mit einem Lichtstrahl zurück ...

Klaus Baumgart,
Jahrgang 1951, gehört mit seinen weltweit rund 2 Millionen verkauften Büchern zu den international erfolgreichsten Bilderbuchkünstlern. Der renommierte Grafikdesigner erhielt zahlreiche internationale Preise und Auszeichnungen. Zu seinem Gesamtwerk gehören neben der erfolgreichen Reihe „Lauras Stern“ auch die beliebten „Tobi“-Bücher über das kleine grüne Ungeheuer. Der Kinder-Zeichentrickfilm „Lauras Stern“ kommt 2004 ins Kino.

Cornelia Neudert wurde 1976 in Eichstätt geboren. Sie studierte deutsche und englische Literaturwissenschaft sowie Kunstgeschichte. Seit einigen Jahren macht sie Reportagen, Umfragen und Kaugummitests für den Kinderfunk des Bayerischen Rundfunks und ist dort mittlerweile für Rätsel und Spiele zuständig.
Im Baumhaus Verlag veröffentlichte sie ihren ersten Kinderroman „Der geheimnisvolle Drachenstein“ und das Erstleser-Buch „Ein Herz für Vampire“.